中国当代艺术家画传

主编 食指 许江 撰文 祝凤鸣

HONG LING

洪凌

SPIRIT OF LANDSCAPE

山水精神

序言一

如此规模地组织当代重要诗人写画家介绍画作，不仅是一个创举，准确地说，是恢复了一座古老的文化桥梁，把诗人和画家传统意义上的朋友兼兄弟关系又建立起来。从文化的角度看，一批在汉语中成长的画家当然要用汉语的眼光来理解、认识、批判。

精神转化为产品，是时代的趋势，也是文明进步的表现。精神文明和物质文明按照各自的规律向前发展，它们并不同步，但在某一点上有时会达成平衡或统一。比如一幅画在一个家庭体现了双重价值。

但艺术品进入民间市场不应该是一件盲目的事情，必须建立良好的秩序，这需要时间和过程，重要的是需要一批人为此付出努力。首先就是要培养大家的感受力和鉴赏力，逐渐让更多的人知道什么是有生命力的作品，什么是传统和创新，怎么样的画才有价值，但这一切的前提是谁是一个真正优秀的画家。

通过人类学意义上人性最敏感的诗人，我们进入一个个画家的灵魂。他们有血有肉，有喜怒哀乐，有生老病死。大多地方他们也是普通人，而在某一处，他们显现了神奇的记忆。对一幅作品的评判首先是对一个人灵魂的拷问。

这套书的出版可喜可贺，它填补了一个空白，如此大面积的当代中国最优秀的诗人和最重要的画家在同时做着一件认真细致的工作。

我感谢他们!

食指 2006.8

Preface

For the first time, the most important contemporary Chinese poets are gathered together from all over the country to write about painters as well as their masterpieces. This large-scaled activity serves not only as a pioneering work, but a bridge through which the classic relationship of brotherhood between poets and painters is restored. Culturally speaking, painters raised in a Chinese-speaking environment will undoubtedly try to appreciate paintings with eyes peculiar to the Chinese.

To convert spiritual intelligence into tangible products is the current practice, which shows the progress of our civilization. Though both spiritual and material civilization advanced in their own orbit yet not synchronically, the point will somehow be arrived at when balance or unity is reached between them. A painting hanging in a room is just an example to the point, which demonstrates the above-mentioned double values for a family.

But art works should never hit market blindly. A fine order is a must, which requires time to develop, and most of all, efforts devoted by lots of people. To begin with, we should nurture people s sensibility and the ability to appreciate. Gradually, we must let more to discern what a lasting art work is, what tradition and creation are, and what a valuable painting is. But all of these are possible only when the precondition is satisfied, that is, there lives a real excellent painter.

Anthropologically, poets, through whom we may enter into painters'souls, are the most sensitive to human nature. They are mostly ordinary mortal people of flesh and blood, whose lives are also full of joys and sorrows. But in one particular place, they, somehow, display their unique wizardly power to see A to Z of all details of everything and express them without any omission, which can be briefly said as the unique combination of his emotion, imagination, intellect and intuition. Therefore, for a poet to pass his judgments on to a piece of art work, he has to be first all of put to the torture of his soul.

The publication of this set of books is a delightful event, for it fills up the gaps, and gathers together nationwide the most excellent poets and important painters to be painstaking with the common task.

I hereby give my thanks to all of them!

By Shi Zhi August, 2006

序言二

西汉扬雄曰："言，心声也。"诗与画都从于心。

今天，我们带着一颗诚挚的心在这里相会。

"似曾相识燕归来"。我们在这里，诗与画在这里，找寻彼此相识相知的气息和心迹，并以此去召唤真正富于诗性和画意的生活。

诗人不是一种职业，也不是一种社会阶层。诗人是一种灵魂的类型。这种灵魂总在漂泊，居无定所，并总是从躯体上抽离出去，在遥远的地平线上回望自己，返观自照。诗人总是在远方看到了自己，看到了真正的生活，但是他却永远到不了那里去。并不是所有写诗的人都称得上诗人。许多从事别的行业的人们那里，却蕴含着诗性。真正的诗人在生活中。我们向真正的诗人们致敬！

我们所处的年代是一个缺少诗人却盛产歌星的年代。那歌总将诗的思想和激愤掷去，却将浮华张扬；我们所处的年代是一个将一切都插电的年代。诗言志的本色被淹没在世界的图化和碟化的绚烂之中，诗人的赤诚与明澈正面对着媒体独裁和技术优先的双重黑衣。

我们可以容忍没有诗，但我们不能容忍没有诗性的生活。我们可以容忍没有诗，但我们不能容忍将许多假象滥充为诗性。所以，我们走在一起，重新寻找诗的气息，重新寻找诗性和诗人的灵魂。

许江 2006.5

Preface

A well-known Chinese poet once said: Words are the voice of the heart, so are paintings. Also, our ancestors believed that both writings and paintings originate from our heart.

And today, with sincere hearts, we, poets and painters, are meeting here.

As one passage from a poem goes, "Swallows, like the ones I knew, return" . Like the swallows we are now here in search of a kind of feeling and atmosphere that are understood and familiar to us, in an attempt to call on a truly poetic and picturesque life.

Poet is neither an occupation, nor a social stratum. Poet is kind of an unsettled soul, always on the drift. Often it retires itself from the flesh body, and looks back on itself from the remote horizon. It s usually in the distance that poets find his true self, as well as true life, a place he can never reach. Not all that compose poems are poets; poets may also be found among people in all works of life. True poets hide themselves in our daily lives. Let s salute to all the true poets at present.

Ours is a time which lacks in poets and which produces too many popular stars, who, more often than not, cast away poetic thought and feelings, leaving only the vain glory. It s time in which everything is plugged in. The mission of the poetry to express one s ambitions has already been forgotten and lost in the false splendor of the madding world, and the loyalty and purity in poets are now faced with the double dark forces: media which dictates, and technology which is put on priority.

We can have no poems in our life, but we can never tolerate life without poetry or life permeated with pseudo-poetry. So, let's be together, rediscovering the aroma of poems since forgotten, the poetry in our time and the soul of the poets.

By Xu Jiang May, 2006

目 录

祝凤鸣，一位乡村神秘主义者，
一位从童年的美妙荆棘中，持续发展的幻想家，
他从自然环境里，直接激起心智的力量，
完成内心独白。
他的诗有一种古典压抑下的自由风范。

洪凌，1955 年出生于北京宣武区。
1976 年 9 月，进入北京师范学院（现首都师范大学）美术系油画专业就读，成为中国历史上最后一批工农兵学员中的一员。
大学毕业后分配在北京市服务学校。
油画作品多次参展并出版。
2007 年出版《中国当代艺术家画传——洪凌》。

雪竹

春意

茂春

今天，院子中笼罩着一层青光，画室里大雾蒙蒙，心也像过滤了似的不容躁动，一切都缓慢地流逝在朦胧中。雾将散时，天上悬着一轮银色的盘子，辨不出那是太阳还是月亮，只能任意识里混沌的时间，从雾中蔓延到我的画布上……

——洪凌《黄山笔记》

逆流而上的油画家

人画山水时，并不意味着“山水”，而是发现自己：山水成为人的情感的寄托，人的欢愉、朴素与虔诚的比喻。在《论山水》这篇声名卓著的短文中，诗人里尔克进一步辨析：画中的山水，是神秘的自然律含思自鉴的蓝色明镜，是犹如“未来”那样伟大而不可思议的远方。

含思自鉴，的确是有些不可思议：在疏远自然、心性日益焦虑的今天，洪凌却沉潜于南方山川，久而久之，在竹子、雨雪和池塘边，像一个沉稳、静谧的古人，怀揣千言万语，拥有超拔现实的秘密表达——他成了一位逆流而上的油画家。

从上个世纪 90 年代初开始，洪凌致力于山水油画的创作。他融会传统的典范意义和由此提出的问题，一直是中国油画界关注的焦点之一。

2003 年 12 月，在“第三届中国油画精选作品展”上，20 件作品获得最高奖“中国油画艺术奖”，其中，洪凌的《雪竹》获此殊荣；而“雪竹”，仿佛完全是一幅中国画的名字。

十多年来，洪凌携带着他的“中国式油画”，入选过“’94 中国批评家年度提名展”、“47 届威尼斯双年展”、“20 世纪中国油画展”等里程碑式展览，给当代中国油画史构成直接影响。

洪凌油画里浓郁的东方气息，他对于中国传统艺术的挖掘和拓展……对他艺术的审美评价，都必须投放到百年中国油画的历史景象中。中西融合，油画本土化，这其中交织着过于驳杂的文化历史话题。

当一年的日子流淌殆尽
四周田野和山脉沉默不语，
天空的蓝色还是闪耀在白昼，
仿佛屹立于明朗高处的天体。
变化和美丽依稀在四周，
那里，一条小河匆匆淌过，
在这壮美的大自然的时辰
安息之魂合于幽深。

在中国艺术界，洪凌走着一条稳健的、孤立的道路，人们对他艺术的理解始终也未能形成共识。因论者的角度不同，往往产生完全不同的结论。

持异议者，大多是站在写实主义或前卫主义的角度，两者可能都认为洪凌走向“风景画”而丧失了社会性；迄今为止，人们还隐隐存有一份担忧——认为洪凌的画太靠近中国，太像中国画，称之为“油国画”。

洪凌的支持者，大多赞美他在油画民族化上所作的努力，称之为“中国式油画”。他的油画所表达的是山水精神，而不是西方风景。也就是说，洪凌延伸了林风眠、庞熏琹等所开创的道路。

对洪凌艺术的关注愈加急切，萌发的问题便愈多。好在今日，艺术之争已不再是你死我活的个人情绪冲动，而稍显理性和从容。

大的背景是，在人们日渐忧心于技术失控和传统记忆遗失的今天，国际艺术界也更强调传统、民族、地方元素的永恒价值——文化正呈现出多元化的气候。

自从上世纪 90 年代在中国艺术史上出现洪凌，他的存在以及因他而产生的影响，实际上已形成了一种文化现象，即“洪凌现象”。遥相呼应的，是 20 世纪上半叶围绕林风眠中西艺术融合之争的“林氏现象”。

含思自鉴，“洪凌现象”应聚焦于此：只有好的油画和坏的油画，没有什么“中国式油画”，更没有“油国画”；洪凌的艺术与传统的关系，是寄生、嫁接还是相互激活？这种艺术是否具备自律的独立精神？如果有，这种精神的分娩力、生长性如何？在何种意义和可能性上为我们提供未来和远景？

阳光重又回到新的欢乐，
日子的绽放伴着光芒，好像花朵；
大自然的目标照亮了心绪，
仿佛涌出的欢乐和歌曲。
新的世界还在幽谷的外面，
春天的晨曦明朗，
高处闪耀着白日，黄昏的生命
也赐予静观者内在的意义。

滚滚向前的世界潮流日新月异，有一位画家却凭舟稳立，气象从容。他要追溯远方，去古老中国的山脉里看看，去古老的泉水边看看，他要找寻自己内心的清泉——实际情况是这样，任何一眼泉水，都会变成一条跳跃的溪水；而每一条活着的溪水，都阵阵上溯自苍茫远海涌来的气息。

“中国要是出一百个林风眠就好了。30 年代中西融合，那时东方的文脉还很强劲，我们已经失去了一次和西方艺术较量的机会。”洪凌一边抽着肥胖的雪茄，一边惋惜感叹。

1993 年，洪凌在黄山建了工作室。十多年来，他画过无数雪景，油画家的胡子也变得花白。经常是这样，结束中央美院的教学，夜晚踏上列车，洪凌便成了一个著名的南来北往的人，带着有力的眼神——南方，大雾潮湿而浓郁，一堆杂乱无章的山水，一草一木都在等着他，仿佛他是第一个要去为这个奇妙天地绘制地图的人；南方，一种孤单，一个召唤，积雪压弯树枝，蓝莹莹的雪块仿佛亲人的脸……他走着走着，他是延伸得如此长久的、内心如此吃力地保留着往日的人。

画是心血熬成的。昨天头疼，有些感冒，画室中一幅幅未画完的大画，好像要吸干我的血气，使我不敢踏入画室。今天“开太阳了”，精神好很多。

只有经过连绵细雨，在灰白世界里长久纠缠的人才能体会“开”这个字的妙处，才能理解这里为什么是水墨的故乡，是黄宾虹的故乡……

——洪凌《黄山笔记》

观看山水的眼睛

“山水还是宋代的山水，山水没变，是人的心变了，人看山水的眼睛变了。”如此感叹时，远处的新安江在洪凌的眼眸里闪亮。

难道一定要用宋代人的眼睛看山水？那么好吧，让我们首先来看看11世纪时懒洋洋、慢悠悠的中国人，拥有怎样一双杰出、超拔的眼睛吧。

自然还是一个异常广阔的整体，画家消失在它的背后，山水里有一种安适、幻想的诗意——在董源、巨然、李成、范宽这些显赫的眼睛中，山水不再是作为物质而对人们含有意义，艺术家总是交融地、温和地凝视它——这时的自然，是一个伟大的、现存的真实，是一个整体，一阵呼吸和涌动，是一个生命。

北宋山水画，有一种静谧的风仪。它们寂寞又安静，平林漠漠，万古千秋。永恒的自然山水，胜过转瞬即逝的人世繁华。

这些基本塞满画面的、客观的、全景性地描绘自然的方式，富有使人感动的意味——它既宽泛、丰满而又不确定；也使人清晰地感受到整体自然与人类情感的亲切关系，好像人真是在其中可以居住、可以嬉戏似的。

问题是，不是在所有山水中，人都可以居住、可以嬉戏——在萧条、枯瘦的山水里，树木好像拳头的地方，在危险的岩石下，人不能居住；在一株青藤、一只怪鸟、一丛竹子和几个干涩的南瓜下，人也只能稍坐一会，不能居住……

人忘却灵魂中的忧虑，
当春花绽放，无不灿烂，
绿色的田野欣然扩布远处，
亮光闪闪淌下美丽的小溪。
群山遍布林木静静站立，
美妙的是空空之所的气息，
开阔的山谷延伸于天地间
塔楼和民居依靠小山。

面对自然山水，中国艺术家有一种天赋的内省精神。但这种内省性精神里，又隐藏着一种警醒，一种危机——艺术家要么持有浪漫主义的目光，这是短浅的、精巧的眼神，他美化了自己观察到的事物；艺术家要么有着现实主义悲哀而伤神的眼睛，自然山水成了时事政治的象征和个体身世的隐喻，变得过于主观怪异，过于自私。

只有在智者的眼睛里，山水才有着平静的、深刻的、玄妙莫测的可能性，而这种可能性也最接近真理——距这种可能性不远的，是艺术家的质朴的可能性——当他们与山水相遇，人与风景形象和世界走到了一起时，他们自己便要千方百计地深入到自然的伟大联系中去，在这种不确定性中，寻找某种精确的东西……随后，他的艺术变得深幽起来，因为他是山水的朋友，山水的知己，山水的诗人……

中国山水画最值得珍惜的地方，就是那种整体的自然性，那种密布其间的、诗性的、冥想的境界。

田野枯黄，唯有蓝天
闪耀在高空，仿佛歧路
大自然浑然为一的景象，吹拂着
清新气息，万物环饰以淡淡明亮。
天上隐约可见大地的浑圆
整整一天，伴着清澈的大自然
当高天的苍穹点缀星星，
更具灵性的，是那延展遐迩的生命。

在近现代中国山水画家中，与北宋相隔千年，最具冥想意境的画家，当首推黄宾虹。在他浑朴一体、气韵生动的杰作里，我们看到的不仅仅是山水的“质地”、山水的“架势”、山水的“骨头”，而更多的是“山水的气息”，“欲得山川之气，还得闭目沉思，非领略其精神不可”。细细研磨着山水与光照、空气共同构成的形象，在温润的南方雾霭里，黄宾虹拥有一双奇特的“心灵的眼睛”。

洪凌的油画，同样使我们能清晰感受到一种绵绵不尽的自然本真气息——在他的画幅中，往往见不到具体的山石和树木：团团白色，很难分清它们哪是梨花哪是积雪；红褐色块中，我们也辨析不出哪个是秋叶哪个是泥土，哪个是肉块和血液……

在洪凌这种不确定的油画中，又存在着一种坚决的、数学一般的精确——整个画面，在自我派生和生长，变成一种情绪，一阵远古的情感，阵阵向我们涌来……通过这种猛烈的晃动，来干扰我们内心即将冻结的那个神秘时刻。

在心慌意乱的当代社会，远古情感为何能产生如此震慑人心的力量？难道仅仅因为我们是自然的一部分？是一个伟大进化谱系中的最终果实？有没有一种百转千回的文化心理传承？

耐人寻味的是，洪凌的工作室恰好建在黄宾虹的故乡，洪凌的山水油画，在精神上最接近的不是哪个西方油画大师，而是中国水墨画家黄宾虹。

山水画家，总是孤寂一人面对整个大自然。从某个角度来看，似乎一切艺术的主题和目的都存在于个体和整体的平衡当中，似乎崇高的因素——即艺术方面的重要因素，也就是要使天平的两个秤盘保持均衡。

实际上，在不同的艺术作品中都存在这种关系，指出一部交响乐是如何把暴风雨的声音与我们血液流动的声音融合在一起的，确实也是一件十分诱人的事。

……心灵的耳朵，相伴相依的是心灵的眼睛。而那的确，也是洪凌唯一用来观看山水的眼睛。

言及心灵，它有着怎样成长的丝纶？为何如此浑朴与温润？它又如何与

满秋

一个人的禀赋、童年和文化记忆息息关联？

当今人们被困在城市的尘埃和喧嚣中，偶尔也乘坐飞机到山中透口气，如同饿了去吃汉堡包，疲乏了去泡桑拿浴。想想看，如果我们的山水画家也持这种心态，创作出“桑拿山水”、“汉堡山水”，岂不令人堪忧？

——洪凌《黄山笔记》

丽秋

胡同里的童年，《故宫周刊》

1955 年 2 月 2 日凌晨，洪凌出生于北京市立第三医院，恰好与他日后工作的中央美术学院相距不远。

在我们这个星球上，不管在哪里有什么人降生，这一天总是一个骚动和兴奋的日子，一些邻居参与进来，父亲和朋友一道高兴。孩子是要长大的，他对自己感到陌生，所有人都对他感到陌生，他成为某种不确定的东西，深不可测的东西，朦朦胧胧的东西。他从这只手转到那只手，从母亲手里转到父亲手里，父亲又把他交给第一个老师，第一个老师再把他交给第二个老师，直到这个孩子有朝一日在一个事件中发生变化。在一个朦胧的、不引人注目的表面上，出现了一个微小的、明亮的闪光点。

秋痕

童年时，洪凌家住在北京南城一个很大的四合院中，以前曾是中山会馆，也就是民国时期广东中山县驻京办事处。这个胡同深处历史久远的院落，带着家族的传承，也将给洪凌未来的闪光点提供隐秘的前提。

到了 50 年代初，由于街坊邻居搬来的越来越多，曾经只有五六户人家的中山会馆，俨然已经是一户大杂院了。洪凌的童年，多是与邻居孩子们在无拘无束的打闹追逐中度过的。

秋

洪凌自小就喜欢乱涂乱画。家中对艺术最有热情的要算母亲，很长一段时间里，母亲总是充当着洪凌幼稚习作的第一观众，并经常评头论足，击中要害——母亲毕业于国立女子师范大学，后来一直在中学做国文与外语教师。

洪凌的父亲洪源是历史学家，早年毕业于中法大学。从 50 年代后期开始，一直在中国科学院历史研究所从事蒙古史研究。

父亲是白族人，老家在云南西部的一个小山村。因为从小家境贫寒，父亲发愤读书，后来养成爱书如命的习惯——在洪凌的记忆里，童年时家中最值钱的，就是父亲多年购买的那几架历史书籍。

当我还是年少时，
有位神灵保护我
当年我无忧无虑地
与小树林里的花朵嬉戏
天上的微风也逗我玩耍
尽管我当时还未叫过
那么多的名字，
然而，我对你们的了解

胜过我对世人的观察

我明白苍穹的静默——

抚育我长大的 曾是

小树林的低唱……

一个乡下人的血液里往往有着山脉与河流的初衷——父亲是乐山爱水的。小时候，每逢节假日，父亲总是带着洪凌兄弟几个去北京郊外远行。也许是因为血液传递的基因吧，童年的洪凌与同龄的孩子就极不一样，面对山川风景，他总是按捺不住内心的撞击，有时甚至感觉连心脏都承受不了——

他对自然有一种单纯的爱……这感情如同泉水一般，是从他心底迸发出来的，通体浸透着春天清晨的朝气——爱对他来说，就是内心震荡之后的宁静，就是观察。洪凌观察着一片泥土，一块岩石，一棵树，一条欢蹦乱跳的河……他在观察一颗心。虽然，这种爱此刻显得盲目，还居于一片朦胧中，但一个新人在生长，那个"未来"终归是要来到的。

"童年,胆怯的凝望,往往会改变事物的进程"……洪凌弟兄三人,年幼时,因为父母忙于工作，日常起居都由外婆照应。戏耍的尖叫，伴随着寂寞；而寂寞无人知晓……像所有儿童那样寂寞。

随后，红色的动荡开始了。成人们来来往往，和一些看起来很重要的事务纠缠，父亲的脸色也变得严峻，可是洪凌并不懂得他们在做什么。心静如水的外婆,这位广东老太太,依旧随和大度,乐善好施。这种潜移默化的影响,塑造了洪凌日后平和安闲的性格——而性格，在更远的未来，也影响着一个人的命运。

……心灵啊，

让我漫步在你常开不败的繁花下

让我有个安定、简朴的居所。

任凭远处的大潮

变化着呼啸而过……

让宁静的太阳推动着我的梦境——

完全是因为一个偶然，在偶然的深处埋伏着贵重的宝藏——洪凌的外公何澄一，曾是前清的举人，后来就职于北京故宫博物院。何澄一曾与康有为、梁启超、罗淳瑗、黄宾虹等名士私交颇深，是一位很得国学精粹的老人。

外公在民国年间于故宫任职时定购的《故宫周刊》，一直年深月久地放在一个木箱的底层。

那是在上初中二年级时，整天无所事事的洪凌，有一次在外婆的旧箱子中乱翻，竟找到了这批难得的《故宫周刊》——里面印满了当时叫不出名字的历代名画。

洪凌从不曾见过如此精美的山水画……一天接着一天，他悄悄临摹着，家中四壁很快就挂满了洪凌的摹品。虽然在当时，他的临摹作品只略微求得表面的相似，但洪凌哪里知道自己正在追慕着董其昌、范宽、王蒙……这些遥远、矫健而深幽的心灵。

《故宫周刊》，如一盏寂静的灯火，悠悠照耀着一颗年少的心……

在那令人窒息般的惊异里——那个“微小的、明亮的闪光点”，正静静地严肃地从人的发展中成长起来。——此刻，我们还无法得知，这个“闪光点”，这颗严冬里深埋的红色种子，将绵延出怎样的、茂盛春天的绿意。

有一次，在深山中曾遇到一户人家，茅舍仅只一间，且已破旧；临近观看，门虚掩着，主人不在……让我极为动情的是，房主竟在很窄的屋檐前，用几根木柱、竹片架出了临池而坐的观雨走廊。窃窃中我回味良久，但愿在这里居住的不是什么隐者高士，而是位普通的农民……

——洪凌《黄山笔记》

在青春生涩的怀抱

当一个人在自己的血液和经验中长大成人，那么这座学校就是他的往事。一个人所经历的、他祖先所传递的一切，成为这个人的往事之后，就一直活在他的心中——它将使人开始完善自己的教养，并渐渐丰厚、端正起来。

最初，看见儿子整天描描画画，母亲便请来了老国画家王广秀先生，正式开始教洪凌学国画。14 岁开始，从《芥子园画谱》入手，这段学习国画的经历，对洪凌后来的创作有着举足轻重的影响。

1971 年秋天，高中毕业后，洪凌本该下乡插队——这在当时是大多数学生惟一的出路。但是，临近下乡那天，父母不忍心儿子过早中断绘画学习——为了避免插队，洪凌便告别家人，离开北京，只身南下赴山东青岛姨妈家，一心想在美术学习中寻求自己的远大前程。因为青岛国画老师稀少，洪凌开始学画水彩和水粉画。

此刻我想到你的节日，考虑过
何以表达我的谢意，那小路边的
鲜花尚未凋谢，它们可编出
缤纷的花冠献给你——
今天另有更为丰厚的馈赠，看吧
灿烂宁静的繁星，
从漫长的困惑中将升华出形象

有一次回北京，一天傍晚的遭遇使洪凌内心倍觉惊奇——那天，洪凌独自去自家附近的公园闲逛。公园里，有座解放初期从中南海搬过来的旧建筑，名叫“云慧楼”，古朴而秀丽——那楼有两层，爬上去居高可以俯瞰整个公园：波光抖动的湖面，静静摇摆的柳丝，心烦意乱的蝉声，啊青春，一种难以自制的远古忧愁……

恍惚中，洪凌看到柳树中一个身影，等他走近时，那个人正在摆放着一个小箱子，五彩斑斓的油彩排列在一块小板子上——只见他摆弄着几支如刷的小笔，一把小刀，轻松地调配着色彩。刹那间，那油彩变成了树，变成了云，变成了光……洪凌看得如痴如醉。后来，他才知道那叫油画写生。天色渐暗，洪凌不由自主地问：“可以跟您学画吗？”由于胆怯，声音小得大约只有自己能够听见。那人似乎没有反应，仍在收拾着地上的废纸——洪凌又鼓起勇气说："我可以帮你提那箱子吗？"他笑了笑，拍拍洪凌的肩膀，背起箱子径直走进刚刚描绘的那片树林……目送着消失在林间的背影，洪凌痴迷地想，什么时候能再看到那五彩的魔术啊？

时代并不想容纳一个静静学习的单纯青年——1973年秋天，18岁的洪凌最终还是被下放到北京郊外大兴县一个小村庄，插队落户，接受锻炼。

……夕阳沉落，土地回荡着歌声。从小并未受到家庭溺爱的洪凌，在乡村插队时，早已能顺乎自然，听天由命。

黑漆漆的乡村，漫天大雪中，有时会升起一轮红色满月——三年日出而作，日落而息，和憨厚质朴的农民们在一起，洪凌变得勤奋。三年中，他做过知青队的队长；无论农活多苦多累，洪凌从不无故缺勤；逢年过节也几乎不曾回家——每年，他平均出工在330天以上，几乎做过所有农活。

喑哑的耕种，风吹雨打的青春，从一开始就已经使洪凌与其他知青区别开来；也为他日后在艺术上的丰硕成果打下了倔强劳作的烙印。

那些远离大地的传奇，
叙说着心灵，那曾在此而又归来者，
当它们返回人生，我们体味了
时代的往事，这匆匆似箭的光阴。
大自然还未曾离弃深埋的情景，
仿佛那在崇高的夏季黯淡而去的日子
当秋天降落大地，
静观者的魂灵又在天边找到自己。

光阴在流逝，村落有着矿石般的迟钝；生活中，更多的是苦涩和单调——1975年冬天，村子空荡寂寥。和洪凌一起下放的老知青们，都陆续回北京安排了工作，只有他一个还在等待着推荐上大学。

在繁重的劳动之余，最使洪凌感到欣慰的，就是在疲倦中抽出空闲时间悄悄完成几幅油画或者铅笔速写……少年的理想，在乡村夜晚，在雪花弥漫的橘红油灯下，在20岁的年轻心灵里，依旧深沉地激荡着。

第二年夏天，村里突然来了一个四十开外、文质彬彬的中年人，他便是以后洪凌的大学老师丁慈康先生。

丁先生是北京师范学院美术系的老师，因为想招收一批工农兵大学生，便在大兴县四处寻访——令洪凌意想不到的是，在那个唯成分论的时代，出身不好的他，竟然被破格选送上了北京师范学院美术系。

金风释怀，落叶开道，北国秋光灿烂。一个改变命运的时刻到了，洪凌开始了他日思夜想的大学生活……

每一个文化人，精神中应该有一种独立的品格——不要总是跟风头，看潮流，追时尚。一个艺术人整天紧张地策划着、算计着，装神弄鬼，有话藏着掖着就是不好好讲明白，这太令人悲哀。

——洪凌《黄山笔记》

新潮，失误的压迫

上世纪 80 年代，充满一种解冻期的热情，这是一个有理想，也充满幻想的年代。激昂的一代人产生了，同时大家也感受到来自各个方向的压力。

作家阿城在一篇针对 80 年代的访谈中，有一个观点无疑是准确的——他认为，一代人的思想活跃在 70 年代就已经完成了。这个年代，表面是控制很严，然而受压制最厉害的时期，往往也给自由思想的生长提供空隙——大家都在忙于权力争夺，以至没有人注意到城市角落或者下乡的年轻人在想些什么、做些什么。

甚至早在 60 年代末期，在河北白洋淀形成了一个诗的区域，这种精神活动一直贯穿整个 70 年代。1977 年高考恢复后，各种思想的表演时期开始了。

阿城强调说，没有什么代沟，只有每个人的知识结构沟。

实际情况的确如此，每个人的境遇不同、背景不同，知识结构往往差异很大。

1977 年，大学二年级时，洪凌结识了父亲的老友——北京大学法国文学教授、翻译家叶汝琏先生，并很快成了叶教授谈论艺术的朋友。从叶教授那里，他初步知道了凡 · 高、高更、塞尚、毕加索等西方美术大师。这一年，洪凌还开始了解老庄哲学。

就像第一场春雨后的第一片新绿，明朗、热烈的青春的种子在迅速萌芽。在北京师范学院美术系学习期间，洪凌更加勤奋。他和大学老师丁慈康先生结下了深厚友情。1978 年，在丁先生指导下，洪凌画了大量的风景写生，开始显露出色彩天赋。

1979 年，洪凌大学毕业被分配到北京服务学校，任摄影专业、烹调专业美术课教员。但是一有机会，他便背起画夹，到山水之中寻寻觅觅，锤炼自己。像所有从事美术创作的年轻人一样，洪凌去山东海边画过渔岛，去浙江柯桥画过水乡……时常是这样，美丽的风景像篱笆一样呵护着他，又折磨着他。

而这一切，仿佛都在等待着、推移着……直到南方山峦一片醒目的秋光将他的内心紧紧抓牢：

风烟俱净，天山共色，从流飘荡，任意东西，自富阳至桐庐一百许里，奇山异水，天下独绝。水皆缥碧，千丈见底，游鱼细石，直视无碍，急湍甚箭，猛浪若奔，夹岸高山，皆生寒树。

——吴均《与宋元思书》

两旁的绿树枝头，蝉声犹如雨降。悠悠的碧落，只留下几条云影，在空际做霓裳的雅舞。一道斜阳，偏洒在浓绿的树叶、匀称的稻秧和柔和的青草上面。奇异的野桥，水车的茅亭，高低的土堆，与红墙的古庙，洁净的农场，一幅一幅如同电影似的在那里更换。

——郁达夫《还乡纪》

1982 年，洪凌告别新婚不久的妻子许敏，与画友们南下写生，历时三个月。

深秋时节，由杭州到黄山，山水真正告诉他一个神奇的信息——这才是中国的山水，山水告诉了他，找到了他……新安江两岸，一种驼色、棕色和深绿交织；树木端庄，山峦秀媚，蓝天深广——头顶上空深邃的天宇，宛如故乡平安的梦境。

野山

……早年《故宫周刊》的山水画降临在眼前。洪凌凭直觉知道，这片山水，能画出真正意义上的中国油画。

一种想法在萌动，但仅仅只是萌动而已。此刻，我们未来的山水油画家还不能停下脚步，他还要去其他地方，还要领受更多的惴惴不安的追逼。

我们爱着的，不过是片影子，
当青春心中金色的梦死去，
死去的还有我那和善的大自然；
这些你年少时并不明白，
所以你远离了故土家园，
可怜的心啊，你将暂难将它寻回，
既使梦中的它使你深念。

1985 年，洪凌参加了中央美术学院油画系研修班的学习，研修班毕业后，因成绩优异，留在中央美院任教。

新潮迭起，流派交织——从此，洪凌也将与那个时代的所有艺术家一道，坠于一种心烦意乱的、创新的“梦幻云雾”之中。

上世纪整个 80 年代，中国艺术家似乎天天都在创新，似乎很快就会赶上西方。大家并没有感觉后面有那么多问题。

自 1979 年、1980 年两届“星星美展”之后，1985 年，中国美术又兴起“’85 现代艺术新潮”。这其中有一个重要的契机，就是波普艺术大师劳森柏在中国美术馆搞了一个展览。当时，观众人山人海。“这是不是艺术？”中国艺术家们心烦意乱，但又深受刺激，每个人都跃跃欲试。

艺术新潮运动在 1987 年达到高潮——它几乎完全是一个以西方现代文化为支撑的艺术运动。随后，就是 1989 年初的“现代艺术大展”，中国美术馆的两声枪响，使这个处于强弩之末的新式浪潮声名远扬。

迷失伴着心慌。直到 1990 年，洪凌在画出《野山》之前，一直在所谓先锋的漩涡中打转，他在四处寻觅——他画过北京“胡同系列”；在油画人物中，他做过柯柯施卡式的表现主义尝试；他筹划过 1988 年“首届中国人体艺术大展”；1989 年，他又开始抽象主义的探索……

亲爱的弟兄，也许我们的艺术正在成熟，
因为它像少年的成长酝酿已久，
不久趋于静美；
但请心地纯正，如古人一样！
……
若是大师使你们却步，
不妨请教大自然。

如今看来，洪凌当初在所有艺术可能性上的追求，至少还是以西方标准为依据，还没有把自己的心性、禀赋和创造力作为驱动——那种最强烈、最执著的动力，随着时间流逝还处于晦暗和隐秘之中……而明丽的山水，像一块沉落的美玉，还在遥远的地方——南方，静静闪耀。

但是，请我们付出耐心，不会过多久，他将在一种追逼中，渐渐清醒，

初夏之一

初夏之二

寒雪

以至发现心中的无价之宝；他要成为一个掘宝者；也许不会过多久，他将不再怀疑自己，他的作品仿佛要在清白无辜中成长起来，伴着他自己，伴着一个恒久的自然。

他将得到自然的恩惠……

山水文化是中国人的文化情结……近百年来，从林风眠先生那一代开始，不管是西风乍起，抑或是西风东渐，东方山水文化在与西方艺术交融碰撞中，仍在不断显现其潜在的活力，这也是我执著于山水油画创作的原因。

——洪凌《黄山笔记》

转向自然，寻求自己

经过多年困惑和纠缠，1990 年，洪凌终于完成了《野山》，这是他向公众亮出的投石问路之作，也是他全面复苏的奠基性作品。对此，美术界的回答是肯定的。

1990 年，《野山》参加了“全国风景画邀请展”。

《野山》，一座秋天的丰碑，一种物的巨大安歇，一个美丽而庄重的梦幻。自然宏大的轮廓里，有一种沉默、从容的忍耐——它仿佛不是一幅油画，而是一件雕塑。古铜色的颜料堆砌得斑斑驳驳，幽暗中，几棵老树在隐隐发光；构图是庄严的：方形的框架中，山石树在不间断地、反反复复强调一种密实厚重之感，宛如潜水者的呼吸。

在这幅画里，画家果断放弃了焦点透视，有意减弱了客观树种的外在特征，减弱了光与投影的客观性——从而增加了画面的平面因素，压缩了真实空间，使得山石树木有了一种扑面而来的笨重气势。

这次尝试，使洪凌内心更有把握，进而产生了难以抑制的信心与冲动。

紧接着，他创作了《初夏》、《寒雪》。算上《野山》，这同样尺寸的三幅作品，可以视作洪凌早期拍案惊奇的心灵三部曲。

特别是《寒雪》，它几乎可以视作一个奇境，一幅当代人的宋代作品——它所表达出的那种神秘、宁静与深幽，那种审判的仪式气氛，一瞬间会使人产生紧张的震慑……积雪仿佛白色大理石，湖水宛如青铁；铁画银钩中，我们见识到了一种原始的神圣姿态——画面里的正午，又好像帷幕掀开的一个万古千秋的静谧子夜。

洪凌的早期三部曲，更多的是北方气概，有着苍凉与肃穆的情感，以及对大山大水的敬畏情怀，潜藏着一种预感的力量。刀刻斧鑿，神情严峻……

从他早期的三部曲中，我们能读懂洪凌心中的潜在碑文——自然，是一位遥远而凛冽的女神，洪凌是在向一种博大的自然精神投入心灵深深的祭奠。与他后期创下的南方山水相比，大自然还远远不是那种可居可游的山水，而是一个境界，一个神庙，一座心灵的祭坛。

不是他们，已经出现过的亡灵，

古国的神灵之像，

他们已不允许我再呼唤，但如果

故乡的水啊，此刻

我心中的爱与你们一起抱怨，

他想要别的什么呢

这颗神圣而又悲哀的心?

因为大地充满期待，在

炎热的日子里……

1992年春天，洪凌再次赴皖南旅行写生，新安江两岸依旧青山绵延，蓊蓊郁郁，朴拙天成。10年前，也就是1982年那个醒目的秋天似乎又回到了眼前……一种被忽略的召唤，一种令人惊讶的、生机勃勃的躁动，撞击着他的心。

同是黄山之行，而这次完全不同——洪凌已经37岁了，已经做好了准备，这不仅仅是指未来的艺术方向，更是指向一种生命态度和生活方式，一种孤注一掷的文化抉择。

深思熟虑之后，他要在这风生水起、万啭千鸣的南方山峦间安顿下来——他要在屯溪郊外、新安江边，建造自己的工作室。

往往是这样，人对于自然，在不理解的时候，才开始理解它；当人觉得它是另外的、漠不关心的、也无意容纳我们的时候，心灵便无以安顿。

当初，洪凌之所以决定长期潜伏在山水之中，像童年时代的梦想那样，的确是因为南方山水对他有一种古老、神奇的吸引。

这不仅仅是因为洪凌生性喜欢清净，想在山水中逃避喧嚣，修身养性；而更主要的，是基于他在艺术上的深谋远虑——他转身自然的时候，能明显地发掘自己的心性——与过时的事物相比，他更喜欢永恒的事物；与暂时的、有根据的事物相比，他更喜欢具有深刻规律性的东西……

1993年，洪凌的黄山工作室正式启用——一幢别墅式的两层小楼，带着前边的院落和后方的水塘，带着一位淳朴的、名叫王文刚的画家学生，还有一只猎狗；带着桂树，竹子，一棵大板栗树，和隐藏其间的千奇百怪的生命——它们将静静等待着一个人，一颗心，等待着一位画家的劳作。

工作室成为一个出发的地方。洪凌要从这里走向山水，在一种不确定中寻找某种确定的东西——转向自然，寻找自然，也就是寻找自己。

我的心在你的山谷里醒来，

投入生活，你的波浪在我的四周荡漾，

所有认识你的可爱的山丘，

游子啊，没有一个使我感到陌生。

在群峰之巅，天上的微风

解除我奴隶般的痛苦；

山谷里的碧波银光闪闪，好似

欢乐之杯闪耀着生活的光芒。

最初的时候，每当洪凌离开工作室，在山水间穿行，对他来说，山水还是一件陌生的事物，一时还难以把握。自然，仿佛不顾他而独自庆贺着自己的节日；山水也像操着别种语言的不速之客一样。

实际情况是，我们总习惯从人的一只手、人的一副面孔推断一个人，推断一切；但山水不是人，它既没有手，也没有面孔，或者说它的整体就是一张面孔。

南方，云雾弥漫，林木葱郁，春花秋月，山水动荡不宁。大自然，有时风雨大作，它以洪亮、怒吼的音乐陪伴着你，仿佛在经历一个伟大而永恒的时刻；有时冬雪初霁，它又屏住呼吸，静静地停留在那里，似乎在悄悄地独自作出某种决定——

每一片流水，每一棵树木后面，都牢固而镇定地隐藏着它所经历的朴素岁月……

过去，在中国说起油画，人们的印象就是白桦林、黄土高原、戈壁滩——的确，中国许多技艺成熟的油画家，从前拥有的，只是北方风景的经验。油画家们只有在新疆、黑龙江的森林和原野，才觉得找到了适合自己的景色——千百年来，南方山川，似乎仅仅是国画家的心灵寄养之所……

面对变化莫测的南国山水，中国油画家一下就变得无话可说，缺少办法，也失去激情与耐心——当然，艺术家们也在画水乡、石桥和海滩风景；但是，对洪凌来说，世界上还有那么多没画过的东西，也许是一切。

这一片山水，光线在装饰它，暮霭在拥抱它，有一种绘画正在梦想这个形体，即将用千般热情和万般妩媚来包围它；山水存在着，还像第一天那样未被利用——它存在在那里，好像在等待着一个更有力的、更孤独的人——等待着一个人，他的时代才刚刚开始。

大自然里有一种高超的蒙骗术，而优秀艺术家总归是大魔法师。

在山水中观察，洪凌时常保持着警觉——他必须把万物从自己身边推开，以便将来采用较为正确而平静的方式，以稀少的亲切和敬畏的隔离来同它们接近——

是的，山水是真实的，这个世界上的材料当然是真实的，但却不是一般公认的整体，而是一摊杂乱无章的东西——艺术家的介入，必须使这个世界再次发光、融洽，又重新组合。

在山水中，洪凌独自一人，他没有别的奢望，他只求借助自己的工具，全力以赴地进入到谦卑而艰苦的劳作中去——在这里，在南方，洪凌有一种对生活的放弃；而他恰恰是以这种忍耐，重新赢得了生活，而让世界加入到他的工具中来。

对自然的理解来得很慢、很慢——洪凌即将奉献的东西，都是基于十多年的心血，十多年认真、寂寞的劳动……

今天下雪了，画室外茫茫一片。雪花还未让土地亲近，各种杂树荒草便把它托起，让你分不清是积雪还是春花——它们不时点染着沟壑山峦。往往是这样，秋天的锦衣还未脱尽，冬天的素裹便装点上来；春竹返翠之时，残雪仍萦绕其间，随后又悄然不见……

——洪凌《黄山笔记》

南方，喜悦与劳作

惊颤，缔结澄明……一个奇特的现象是，无论是中西方，许多大艺术家的早期作品，都具有宗教情感，或者说是悲剧性；在创作中期，这种峻烈的情感会渐渐表现为对爱、美和善的关注，显得圆润、幽深；在生命后期，艺术家的宗教情感又会再次兀然耸立。

中国现代画家中，林风眠早期在巴黎的作品如《摸索》、《生之欲》、《平静》，就极具悲剧性；在生命的晚期，林风眠所作《基督》，则直接以宗教和梦境为题材，完成自己对人类苦难的精神描绘。而在这中间，艺术家要历经漫长的生命体验和艺术探索。

顺延着林风眠中西融合的道路，洪凌的创作也存在这种共性——90年代初期，洪凌早期三部曲中庄重、肃穆的悲剧气息，代表着艺术家回归心灵后初次与世界相遇的惊异，而惊异，即美。

随着洪凌创作的不断深入，这种悲剧性在悄悄转换着面孔，它变得更沉潜、静谧，更具智慧和诗意——它并未消失，而是在中和、平衡，以浑朴和拙涩的方式与生命的喜悦和甜蜜相纠缠……

艺术的精神气质，与创作者的处境、心境息息相关。

在黄山建造画室后，洪凌内心充满喜悦，也充满热爱——在南方，他时时沉浸在生命的涌动和茁壮中。

他在这里，在自己住宅的乡土风味的寂寞中，学会了以更加令人虔敬的爱去拥抱生命……随着时光推移，洪凌越来越像一个内行一样看待它们，而生命在他面前也从来没有怀疑，它无所不在。

丰饶的秋日已经来到，
葡萄已酝酿成熟，小树林里挂满
红果，已有一些可爱的花朵
感激地谢落在地上。
柔和的阳光从天上透过树林，
俯视着忙碌的人们，与他们
分享快乐，因为果实不是光靠
人的双手就能长成。

在清晨起床时，在夜间清醒时有生命；在朴素的膳食中，在雪茄和葡萄酒里有生命；在狗的欢乐追逐中有生命；在斑鸠和鸽子的闪光盘旋中有生命。工作室的庭院里一片蓊郁，洪凌很少修剪植物；常常是这样，松鼠在秋天的板栗树上跳跃，突然山茶花又在春天开得噼啪作响——每一朵小花都是一个完整的生命，而在每一颗果实里则孕育着成百上千的生命。

有时，生命是多么愿意在水里闪闪发光啊，鲤鱼在池水里一阵阵游动……

一边是飘摇不定的生命潮水，一边又是单纯寂寞的心灵触须——人沉潜在万物的伟大静息中，洪凌没有了在北京大都市的焦虑，没有急躁……激情越来越内敛；越懂得山水的语言，他就以越静谧的方式来运用它。

在黄山的工作室，洪凌始终保持着艺术家的热情和手艺人的韧性，投入

穆雪

故山

蓝雪之二（局部）

长久的、寂寂无声的劳作——是的，这里，往往只有劳动和他说话；清晨醒来时，劳动和他说话；傍晚，劳动长时间萦绕在他手中，如同置声于耳边嘹亮的音乐旋律——洪凌画画时，喜欢把音乐调得很大——贝多芬、勃拉姆斯、巴赫……有时他一只手拿着油料桶，另一只手上的刷子滴着颜料，呆呆地，仿佛沉浸在一个古老的梦里，又仿佛在祈求一个命令……命名啊，有时宛如劈山救母般的艰难。

接到命令后，洪凌突然会从梦境中惊醒，他的作画方式变得舒展又跳跃，目光灵敏、迅疾——当感到画布中某个部分需要时，一刹那间，他往往会不顾一切，在画布间跳来跳去，画笔所到之处，图像应运而生——此时的洪凌，如同在山间玩耍的孩子，在发现和兴奋中搏击着。

人与生命这般壮丽，
自然常握于人之手中，
美丽的土地从未予人遮蔽，
黄昏与清晨的显现充满魔力。
开阔的田野仿佛正当收获的日子
灵气缠绕，四周及远处古老的传奇，
当新的生命重生于人性
岁月就这般没人沉寂。

“我作画大多是有了意象的火种后，才开始比较自由地用泼、洒的方式，在画布上建立画脉，为下一步的发展走向打下基础，而后再一遍遍地添加……”

往往是这样，开始画画时，我们的画家还只有一些潜在的想法，并没有多少明确的意识。此刻，画面在和他交谈，有时他还没有听懂，还不明白它的意思。越往后，理性越多——就像走钢丝，越往后越艰难。

是的，有时会相当艰难，在反反复复涂绘中，画面肌理和笔触间既要留下活眼，留有气脉，随后还要生出筋骨——洪凌必须时刻留心在实像、虚像间寻找一种果断的平衡。

“怎么让每一个色层之间互相衬托，互相叠加，又不作废，确实很难；它们之间在共生，在作用，就像编织一个东西，色层间的拉力要非常好——开始的色层还在时，如果糊死，就不透气了。要让它们透出一层一层的关系，要有呼吸。控制力越强，方法就会越多，比如现在，我就可以放纵一些，画面里的空间越大，可能性就越多。”

洪凌作画的工具很多，刀、笔、手、纸应有尽有；手法也特别丰富，勾、挑、刮、点、刷、擦、拓、印等方式不一而足。有时他会从园子里折根竹子，在颜料桶里浸浸，对画布猛地一甩，然后仔细端详——棕榈叶、破布、废报纸等等，都会成为他与风景搏斗的工具。

墨西哥大诗人帕斯曾说，创作者和语言的关系应该是“性爱”的关系。的确，绘画是一种诞生，一种精神繁衍，一个新生命的长成——绘画既要有农夫的坚韧与猎人的狡猾，还要有气力的积蓄和技术上的精心准备。有时啊，还不得不听命于天，听命于自然。

关于创作的精妙比喻，洪凌与帕斯如出一辙，“画面要慢慢积淀，就像男欢女爱。画画，你要兴奋，画布也要兴奋起来——面对画布，就是面对一个生命一样，就像一个女子在期待你一样”。

不是这样吗？一切艺术都是如此：爱，倾注在迷上你的爱。而这种爱，是如此专注，如此恒久。

在中国当代画家中，洪凌有着特别的、沉默无声的专心和勤劳……从1993年到现在，十多年的时间，他总共画了四五百幅油画。的确有些不可思议，有些作品画幅巨大，摄人心魄，又逼你安静。

他画过空旷的山峦，雪后的竹子，秋叶和春花；他还画过非常寂寞的流水，无人光顾的池塘，寒冷的月夜，即将倾塌的土屋。在南方，四季纠缠转替，他画过鸟的鸣叫，雾的呼吸，岩石的体温，房舍的脉搏，他还画过积雪蓝晶晶的梦境——世世代代跳动着的、山水的心。

春籁

春雾

雾

西方文化中大师辈出，人的主体精神的张扬是值得学习的。但具体在个人的主体价值认定上，我不想采用凡 · 高式的语言方式，把一颗激烈跳动的心总挂在树梢上，搅动在云彩中，让你紧张的情绪跟在他灵魂之后。

我也不愿意采纳德国表现主义总有着几分血腥味的表达方式——似乎画中的山石树木，都是用血液浇灌的——尽管翠绿如茵，但看上去也有着血淋淋的气息……以艺术的名义让自然去接受人的强权，总感觉距离我的心态有些遥远。

——洪凌《黄山笔记》

山水里的精神

一般是这样，每年除了一两个月在中央美院教学，或者外出参加一些活动，剩下的时间，洪凌大多潜伏在皖南的画室，发愤工作。

到黄山以后，洪凌的艺术有着持续发展的进程——从最初的战战兢兢，到随后的酣畅淋漓、深思熟虑——在这里，他作为一个独特而富有魅力的画家开始成熟，这也意味着，他作为一个完整的人成熟了——他的油画越来越向中国人的心灵靠拢，开始呈现出山水内在的精神……

从1994年开始，洪凌陆续画出了《疏雨岚烟》、《春籁》、《江雪》、《春雾》、《雾》等一系列静美、诗意的作品。

《春雾》和《雾》，完全是心灵深处的景象，是一种挥之不去的精神萦绕，一段无寄的乡愁……难言的幸福里暗含着久远的忧愁。

这两幅画，特别是《雾》中，有一种罕见的南方自由，与洪凌早期画中的北方艰涩气质相异——整个画面悠然一片，它们不依赖任何物体而产生新的关联。局部上相互吸引；在另一个局部上，则迟疑不决地互致问候；在第三个局部上，又像陌生人一样擦肩而过……一种轻盈的寻觅，一个转身，一声叹息……有些局部则没有尽头，没有任何一个局部不发生点什么，没有空白点。

然而，北方而南方，现实而心灵，这种转换还在徘徊，还很迟滞、艰难。

煌

晓雾霜朦 （局部）

涌 （局部）

梦 · 无声 （局部）

在洪凌90年代中期的作品中，如《蓝雪》、《穆雪》、《故山》，我们还是能清晰感受到北方的凛冽气息……虽然，他画的是南方山水，但依旧保留着早期作品中的肃穆感。

时日苏醒，庄严的是天空，
簇拥的繁星已经隐去，
人思虑自身，静观自身，
年岁的开端深受崇敬。
群山高大，那里的小河波光粼粼，
满树花朵，好像花环，
年轻的一岁开始了，犹如节日，
最高的和最好的东西塑造着人们。

1998年以后，洪凌的画面追求开始脱离现实情境，而直接呈现心灵景象……油画中的笔墨气象在自我分蘖、崛起。色块、肌理更具独立性，语言渐渐摆脱叙事功能——更加尊重画面自身生发而成的形态，在宏大、自由的空间扩散中，又有着一种处心积虑的控制力。

随之而来的作品，如《煌》、《凝寒》、《晓雾霜朦》、《雍雪》等，具有更加激越的节奏，朦胧中风骨逼现，意象迷朦摄人。

1999年的《涌》及2000年的《晓雾霜朦》则是更为决断的表达，一种孤注一掷、风驰电掣的精神命名……

在谈到《涌》的创作过程时，洪凌至今还难耐心头激动，“当时我的绘画语言，正向着更大的自由展开——有感于黄山上的风推雪涌，回到画室后，我开始把画幅不断加大，开始忘我地泼洒颜料；使色彩互相冲融，达到气荡神明，并为下一步工作开掘出相应的容量——而后，我好像聆听着画面的声音，缓缓的，恰当的，给予它不断的需要……于是，松影的舞动，云与雪的纠缠，在一遍遍、一层层的色彩叠加中，在变化与控制里，凝结成一种幻境。这其中，最难以把握的是激情与定力，动与静的对立。一旦出现控制上的些许闪失，画中神韵，则瞬间与你失之交臂。”

哦，激情，在你身上
我们找到了极乐归宿，
我们静静地赞美你，
在你的深波中逆流而上，
直到听见祈祷的呼唤
然后带着新的骄傲醒来，
像星星一般，
重返生活那短暂暗夜。
激情，时刻伴随着警醒。

一位大诗人曾经告诫：“艺术不是放纵情感，而是逃避情感；不是表现个性，而是逃避个性。自然，只有有个性和感情的人才知道要逃避这种东西是什么意思。”

的确，艺术的感情是非个人的。但是，要达到这种非个人的境界，除非艺术家把自己完全献给应该做的工作——他不仅要生活在此时此地，而且还要生活在过去的这一时刻；他不仅要忠实于自己的眼睛，而更要忠实于山川树木自身……艺术，终因艺术家的抽身退隐和无名而恒久。

西方风景画有两类是很强烈的，一是印象派风景，他们追随空气，追随日光，在色彩的明亮和对比上达到了极致；另一类是表现主义的风景，如凡 · 高、弗拉曼克等，画中的树木和房子，甚至天上的积云、星空，都在剧烈地扭动……这种强大的涡流，为意象而流血的审美奔突，搅动着画家，也搅动着观众嘹亮、痛苦的神经……

而洪凌是一位中国画家，他时刻清醒地意识到，他画的不是西方风景，而是中国山水；他画的不是山水本身，而是要呈现山水的精神。

山水精神的特质，简言之，就是静思冥想、平和智慧的东方精神。中国山水画，在视觉上没有西方绘画的那种主观与强烈——洪凌早就意识到这点，他要用丰富多变的心灵景象来达到视觉上的浑然一体。

一方面，他不会成为自然的奴隶，照搬自然；而要使用心灵之眼，对山水进行体察和提炼。另一方面，他更不会对山水强暴，而是顺其自然——既顺从大自然的自然，又顺从自己内心的自然。

"……借景物言心志，东西方各有不同，一般来讲，东方多冥想潜性，人情物景交融其中，展现出人心与万物的契合；西方文化中，多把人的精神种子播撒在自然之中，再对自然进行精神围困，显现出更多的人的主宰——两者相比，我更愿意接受东方的方式，更愿意把自然的种子植入人心，去映照生命万物的和谐共享。"洪凌的立场，一直清晰而坚定。

进入新世纪以来，他的油画更加温润、静寂——寒冰炽火融合，苦涩与甜蜜交织；在深谋远虑的布局里，在精准的平衡和冲突中，画家似乎执意要消失，要抽身离去——他要去远方隐姓埋名，成为无名氏，以便让作品去喃喃私语，独自长大……

2001 年开始，洪凌画出的一批雪景，如《银韵》、《瑞雪》、《树影寒山》、《沉朦》、《竹韵》等，我们从中已分明感受不到积雪的寒冷，甚至画面上不是凝固的雪粒，而是温馨的春日繁花，海底水晶，沉静天空的断篇残简——是啊，我们怎能感受到雪野的森森寒意呢？因为画家画的是他丝绒一样温暖、黄昏般给人抚慰的心灵。

《梦 · 无声》，粉蓝的晤谈，太古的爱恋——是雪花飞扬还是星光在分娩？一排长长光序中的单一色调，折射着人的世界；这人世，仿佛还处在恐龙和遥远的冰河时代；在宇宙平心静息的遗迹里，又分明停歇着一个风尘仆仆的现实，一个我们不幸遗忘和忽略的生之疆域……

耐人寻味的是，洪凌近期的画作，结构愈加硬朗，气息便愈安详——画面又明显存在着诡辩般的对立，那一气到底而又缠绵往复的旋律中，埋伏着欣欣向荣的情感。一个悖论，一种朝霞般的忧郁……画幅上，明明画的是肃飒秋天，但又有着春天的绚丽；淡白的春花，恰恰把冬日积雪珍藏；蓝幽幽的雪野分不清晨昏日夜，今夕何夕……明亮的蓝色，却给人一种红彤彤的火把摇曳的暖意。

南方表达，最危险的是失于纤巧。因为甜蜜山水，容易使人意志消沉；轻快的大雾也会妨碍人的判断，让人抓不准神经，摸不稳骨骼。

事实上，到黄山之后，洪凌时常面临艰难的抉择：既要具备东方精神，又不能画成中国画，失去油画的特质；一边要保持神秘，一边又不能失却庄严；江南的杏花春雨，还必须时刻响彻着秦汉盛唐的金石之声……

作为中国油画家，深入处理南方山水现实，洪凌还无法从任何当代油画家中获得教益。一切都得从头做起，必须从古老的源头获得动力——在当今画坛，洪凌是独特的，也是独立的。他生活在自己的心性世界中；他融汇传统、复兴民族精神的决心与艺术实践，给我们带来安慰，也带来启示。

一个人也好，一个民族也好，我看重要的还是种族精神的生命力——世界上，没有一个民族愿意轻易失去自己民族文化的种族性，去简单地获取舶来的欢颜。作为这个星球上的一个伟大族类——贴近自己民族的灵魂，我们才踏实地感到骄傲。

每一个在我们民族家园中劳作的人，如果都能有这种精神自觉，我们的创作才能有生命力……这并不意味着自守封闭，而恰恰是开放的、自由交融的精神前提。

——洪凌《黄山笔记》

传统，记忆与复活

“果实的滋味并不依赖于周围的风景，而依赖于无法看见的土地的养分。”——考量洪凌的油画创作，还须投放在更久远、宏大的历史场景中。

百年中国油画史，此消彼长，中西融合的理想常念常新。

新文化运动之后，大批青年学子留学欧美，学习西洋绘画。也许是中国文化沉疴太重，游学西方的学子，多数侧重于写实技巧的学习。这些画家回国后，力图以西方写实主义来改造中国画，徐悲鸿即是其中最为突出者。

写实主义与非写实主义的对抗由来已久，其实质，反映了对待东方艺术，特别是传统中国艺术的态度。

在这里，让我们稍稍付出耐心，关注一段有趣的争论。1928年，第一届全国美展在南京举行，因为展品上有许多非写实性作品，《美展特刊》成为争论阵地。

徐悲鸿在一篇取名为《惑》的文章中，大意写道：

如果中国政府花费巨金收集塞尚、马蒂斯之画（彼等之画一小时可作两幅），为民脂民膏计，未见得就好过买来吗啡、海洛因。在我徐悲鸿个人，却愿披发入山，不愿再见此卑鄙昏聩黑暗堕落也。

诗人徐志摩立即回应，以《我也‘惑’》为题致信徐悲鸿：

……塞尚在现代画术上，正如洛坛（罗丹）在塑术上的影响，早已是不可磨灭、不可否认的事实……万不料在这年上，在中国，尤其是你的见解，悲鸿，还发现一八九五年以前巴黎市上的回声！我如何能不诧异，如何能不惑？……如其在艺术界里也有殉道的志士，塞尚当然是一个。

这场争论，今天看来，正误早已一目了然，但引发的话题却意味深长——如果说徐志摩是作为学贯中西的诗人来体味学术真谛的话，那么在绘画实践上，就中西融合而言，集大成者当为林风眠。

作为复兴民族艺术的先知先觉，林风眠的创作实践和艺术教育理念堪称典范。他的画沉郁而清丽，凝重又洒脱，主观而实在……许多人把林风眠视作中国的塞尚，称之为“中国现代绘画之父”，因为“当一般国画仍停留在15、16世纪时，他画出了20世纪”。在油画创作上同样如此，相对于林风眠的成果，徐悲鸿未能走出西方写实语言体系，而刘海粟用的则更多是形式上的一种嫁接。

也正是因为有林风眠的正面影响，在他的门下，才出现了赵无极、吴冠中、席德进等一批具有国际声望的大师级画家。

十分不幸的是，上世纪二三十年代滋长的，试图复活汉唐精神的艺术运动，突然因为民族的内忧外患而戛然终结。

新中国成立以来，从50年代开始，受苏联模式的影响，中国油画继续朝写实方向发展，几乎完全忽略了我们置身其间的民族艺术传统。

在山水油画方面，这种倾向主要表现为对政治象征的盲从追逐，许多被誉为当代风景油画的代表作，由于添加了急功近利的政治内容，从而变成了一种政治幻景，失去了中国山水画最值得珍惜的东西——静谧的、冥想的境界。

新时期以来，从80年代中期开始，一些画家反感山水画的政治意识化，希望从民族古老的根部汲取审美力量，寻求突围。

但遗憾的是，因为心情过于迫切，新的探索变成了一蹴而就的意愿，自然风景简化为文化象征或哲学隐喻——这虽然不失为一种觉醒，但传统变成营养、进入血液尚需时日，风景画又一次趋于概念化——自然景色失去了丰润的情感；传统，变成了一厢情愿的观念，变成了“嘎吱”作响的标签；同样的结果是：精神缺席。

祖国啊，你忍辱负重，
好似沉默的大地母亲……
他们喜欢采摘葡萄，而他们
却讥讽你是蔓生的葡萄藤，说你
在地面上摇摇晃晃，一个劲儿彷徨。
然而，你也把某些美袒露在我的面前，
我常常居高临下地观赏你的山青水绿，
和那高高的向阳坡上的果园
沐浴在你的微风中，观看着你。

是的，继承传统毋庸置疑。但在本质上，传统并不能继承，而必须经过劳作——经过艰苦挖掘才能获得。

对于洪凌来说，从一开始就面临一种警醒，那就是：创造中国的油画，不是只画一些东方符号的题材，不是卖弄民族风情，而是要找到自己的语言——即艺术家处理现实的力量。这既要求创作者，一边要意识到自己在时间中的位置、自己和当代的关系，另一边还要始终保持耀眼的感受力。

的确，就某种角度来看，传统是革命的同义词。实际情况是，在中国当代艺术家中，大多数人似乎还没有能力、也缺乏耐心去传统中开凿。而洪凌的文化自觉，除了特殊的命运际会——年少时，与中国传统艺术的亲近；平和安静的天性外——还基于对西方艺术的深入体察。

1996 年，洪凌来到西方艺术之都——巴黎。在考察期间，他不像一般艺术家那样，只逗留在博物馆，而是沿着西方文明的源头，从古埃及、古希腊、古罗马到西班牙、法国一路考察……在这条欧洲文化动脉里，他静静领略着另一种文化的古老气候和魅力。随后，他又多次出国办展览，参加重要的艺术交流。

对欧洲立体而又浑圆的了解，使洪凌更加意识到东方文明——特别是中国山水文化中所显现的优势，立场越发清晰。他坚信，只有与无与伦比的本土文化相切近，才能获得万紫千红的重铸与新生。从此，他更加义无反顾地回到祖国艺术的活水源头中……

船夫快活地回到平静的内河，
他从遥远的岛上归来，如果他有收获；
我也会这样回到故乡，要是我
收获的财产多如痛苦。
你们，哺育过我的可敬的两岸呵，
能否答应解除我爱的烦恼？
你们，我孩提时代玩耍过的树林，要是我
回来，能否答应再给我宁静？

美，源于心灵，又改变人生——回归中国的感受方式后，洪凌踏实而敏捷，仿佛在山水的面孔上迎接着一次心灵的伟大日出。

岁月就这样过去，日复一日，行走在大自然里，这片土地上的词汇如此强大有力——他似乎肩负着别样的重任，要把这青山绿水的伟大词语，严格认真地记载下来。眯缝着细小的眼睛，长久的凝神着；弯下身子，任凭回忆滋生颜色；在殷殷寄怀中，在劳作和美里，洪凌的内心也变得更为细腻温柔，仁德敦厚。

在黄山工作室，人们偶尔会在一些角落见到一个老烛台，几块旧木雕，半个石狮子的头……红漆的箱子上镶嵌着细细的金粉——没有刻意地摆放，不是玩物收藏，明显能够看出主人对此有着古老的切近，但也有适度的隔离——这只是一个提醒，一段惦记，一片心迹。——也正如洪凌一边忘情地抽着古巴的雪茄，一边嗜饮来自深山野岭的绿茶……低声说话，喜欢微笑，更多时候面容严峻；洪凌还是远近闻名的美食家，但从不耽食沉迷——这种庄严的温润，对日常生活热爱但绝不迷失，从一而终的明亮健康的情感，也许正是他的艺术持久精进的保证。

在僻静的乡野里，在南方，一个世界在成长着，没有孤单。十多年，板栗树一天天长高，从城市归来的打工妹染红了头发——来来往往的行人，早已对路边这座式样古怪的房子失去了好奇。可是，谁也不会真正留意、也弄不明白，在这座房子里，那个大胡子画家整天进进出出，忙忙碌碌，他到底在做些什么？

站在竹林的、树木和麦秆的传统中国立场，洪凌一边劳作，一边静悄悄看着“电脑世纪”的到来。

实际情况是，工作室刚建好时，四周还很安静荒凉；但没有几年，马路边都是齐刷刷、蓝莹莹的玻璃房子——美，正在消失。

隔着亮闪闪的新安江水，对岸青山下，突然有一天马头墙不见了；整座白花花的市府广场，仿佛在一夜之间凭空而降……又宛如一种无声的追逼。

……屋脊下的石雕狮子

乃是一种无言的符号，

标志我们路途尚远。

在一次黄昏的散步中，洪凌停下脚步，俯身在冰冷的桥梁铁索上，他前倾着身子，褐色上衣在暮色中变为昏暗。身体下，新安江微软的银波在闪烁，在这幅宁静画面的远方——他望着远处，群山隐蔽了千万条道路，暮色四合，人迹渐隐，洪凌低声感叹着：

“新安江，唉，新安江不是我记忆中的颜色，更不是郁达夫笔下的江水……现在，即便在皖南，在乡下，也没有多少人在意那些老玩意，没有人在意那些雕花屋脊，窗户上的图案，也没有石头麒麟，龙灯、宝塔好像也越来越少了……”

面对古老与当下，我们的叹息总是双重的。就像洪凌的画室，它既不属于古徽州的残像，也不属于当代的虚况，它似乎在尴尬的境遇中执拗地追求着。

当今社会，在广泛的、统一的“玻璃化”中，生活的外观越来越光滑，生活的实质也就愈发晦暗不明。

实质上，埋伏在急匆匆的“工业化”、“城市化”潮流中的，是一种短浅的、极端虚无主义的态度，一种对民族传统文化的漠视和不信任。

所以，洪凌画笔下的池塘、竹枝、积雪——画面里寂寞的、川流不息的静谧和诗意，暗含着缓慢的气氛，是一种挽留，更是绵绵不尽的生长——它们有着一种清凉剂的功效，一种对焦虑世界稀释和化解的力量……

而恰恰从这一片片阴凉出发，才会有生生不息的未来和远方……

用艺术和美来渐渐消除我们生命中曾经蒙受的的粗鄙和损失；重新学会像一个中国人那样生活，那样感受；从古老记忆中，复活中国文化的智慧与温情，复活再成长……也许，这正是洪凌的艺术，以及他的人生态度给我们的最大启迪。

⊙注解：本文中所引用的诗，系德国诗人荷尔德林之作；出自《荷尔德林诗选》、《塔楼之诗》等书。

邻家女孩

女人体

女人肖像

课堂习作

HONG LING

洪凌

WORKS

作品

春意　布面油画　60cm×73cm　2002 年

茂春　布面油画　50cm×60cm　2004年

春籁　布面油画　130cm×180cm　1994 年

晓春　布面油画　30cm×40cm　2004年
春雾　布面油画　140cm×200cm　1994年　(P38～P39)

春之祭　布面油画　170cm×540cm　2000 年

春野　布面油画　73cm×91cm　1993 年

杏花庄　布面油画　70cm×110cm　2005年

春野　布面油画　73cm×91cm　1993 年

春韵　布面油画　96.8cm×145cm　1993 年

山雨催春　布面油画　70cm×90cm　1995 年

润雨江村　布面油画　130cm×171cm　1994 年

春　布面油画　120cm×120cm　2005年　（春 局部 P49～P50）

墅谷濛春　布面油画　200cm×180cm　2006 年　（墅谷濛春 局部 P52 ~ P53）

墅谷濛春　布面油画　200cm×180cm　2006 年　（墅谷濛春 局部 P52 ~ P53）

初夏之一　布面油画　190cm×180cm　1991 年

清夏　布面油画　200cm×200cm　2003 年

初夏之二　布面油画　73cm×91cm　1993年

夏韵　布面油画　65cm × 80cm　2003 年

翠谷　布面油画　100cm×120cm　2003年

翠塘　布面油画　120cm×145cm　1995 年

翠谷（三联画） 布面油画 190cm×510cm 2005年

新安雾竹（三联画） 布面油画 150cm×480cm 2005年

葱　布面油画　170cm×190cm　1999 年

后塘翠荫　布面油画　80cm×100cm　2005 年

润雨清池　布面油画　66cm × 79cm　1992 年

细雨流江　布面油画　70.3cm×90cm　1993 年

夏　布面油画　120cm × 120cm　2005年　（夏 局部 P69 ~ P70）

山后池塘　布面油画　73.2cm×91.5cm　1991年　（山后池塘 局部 P72～P73）

金谷　布面油画　75cm×110cm　2005年

畅秋　布面油画　140cm×180cm　2005 年

丽秋　布面油画　60cm×70cm　2004 年

满秋　布面油画　73cm×90cm　2003 年

秋　布面油画　120cm×120cm　2005 年

雪秋　布面油画　50cm×60cm　2005 年

秋光　布面油画　180cm×190cm　2006 年

煌　布面油画　170cm×190cm　1999年

秋水（五联画） 布面油画 200cm×260cm 1994年

黄山秋色　布面油画　240cm×540cm　1995 年

远眺祁山　布面油画　70cm×200cm　2006 年

秋眼　布面油画　180cm×160cm　2006年　（秋眼 局部 P89～P90）

秋辉　布面油画　180cm×190cm　1998年　（秋辉 局部 P92～P93）

冬韵　布面油画　120cm×120cm　2006 年

银雪　布面油画　50cm × 60cm　2006 年

寒濛　布面油画　100cm×120cm　2003 年

萧雪　布面油画　90cm×116cm　2003 年

冬　布面油画　180cm×190cm　2006 年

寒韵　布面油画　220cm×250cm　2003 年

瑞雪　布面油画　70cm×190cm　2001 年

皖雪　布面油画　60cm×70cm　1998 年

冬　布面油画　120cm×120cm　2005年
冬寂　布面油画　61cm×73.5cm　1992年

雪庐　布面油画　170cm×190cm　2000 年
塘雪　布面油画　50cm×60cm　1996 年

冬日 · 北方　布面油画　75.5cm × 103cm　1993 年
银雪　布面油画　73cm × 91cm　1993 年

沉雪　布面油画　70cm×90cm　1994 年
玉树幽山　布面油画　60cm×73cm　2002 年

雪竹　布面油画　220cm×250cm　2004年　（雪竹 局部 P109～P110）

寒雪　布面油画　180cm×190cm　1991年　（寒雪 局部 P112～P113）

武夷印象（三联画） 布面油画 80cm×600cm 2006年

晓雾霜朦　布面油画　70cm×570cm　2000 年

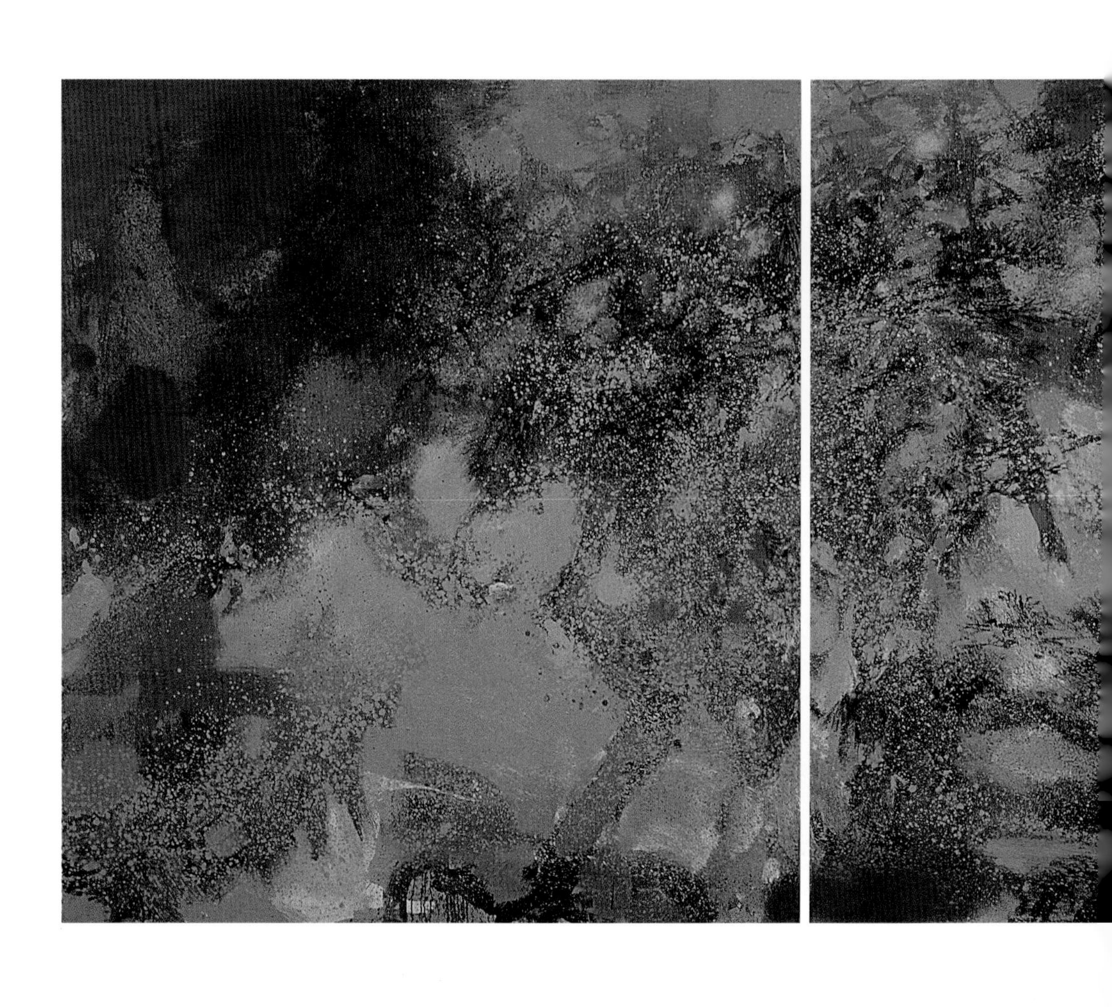

涌（三联画） 布面油画 190cm×510cm 1999年 （涌 局部 P120～P121 页）

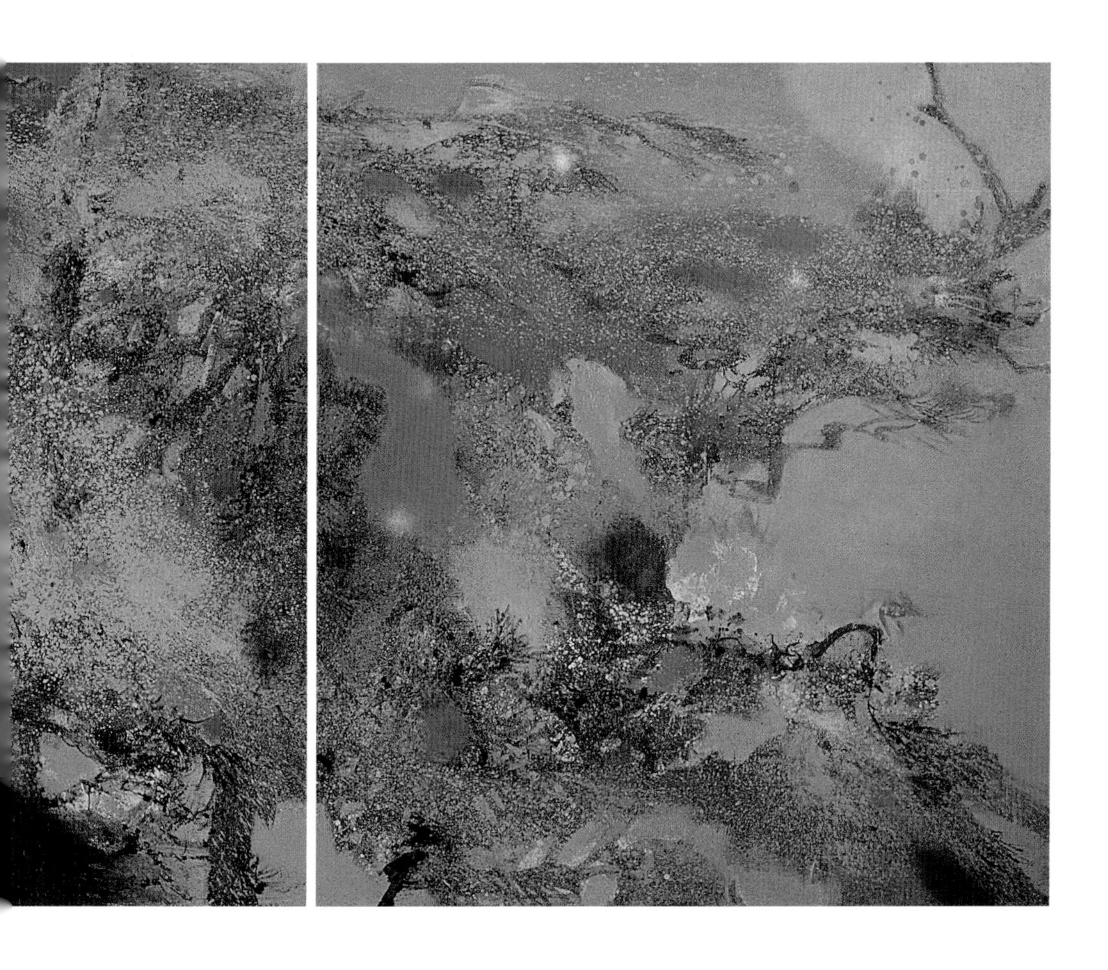

蓝雪之二　布面油画　80cm×190cm　2005 年
竹韵　布面油画　120cm×190cm　2003 年　(P124 ~ P125)

素雪松居　布面油画　60cm×100cm　1998 年
秋江　布面油画　80.3cm×100cm　1993 年

空濛　布面油画　80cm×60cm　2003 年
雪晴　布面油画　60cm×70cm　2003 年

银色山坳　布面油画　116.5cm×116.5cm　1993年
皖北秋色　布面油画　100cm×100cm　1994年

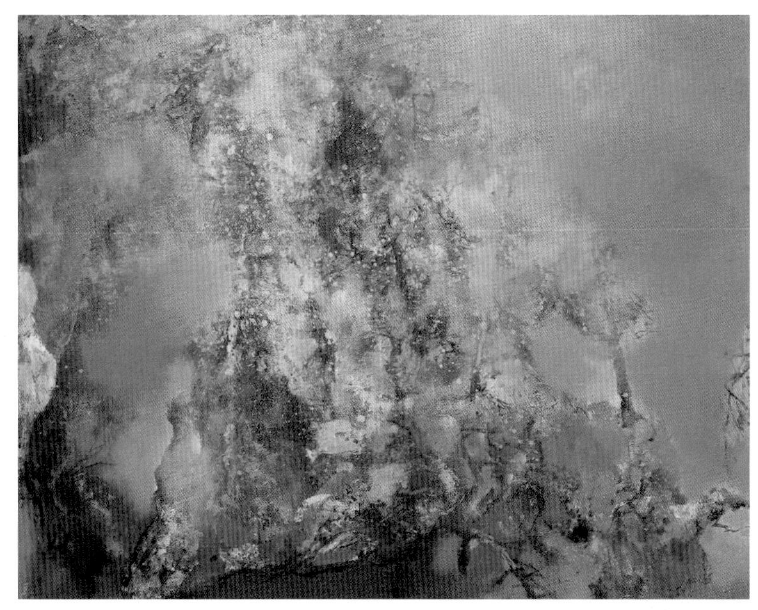

雾　布面油画　140cm×170cm　1997年
故山　布面油画　112cm×112cm　1997年

茂谷梅花　布面油画　70cm×116cm　2005 年
暗色　布面油画　70cm×80cm　2005 年

萧野　布面油画　60cm×72.5cm　2005 年
野韵　布面油画　180cm×190cm　1995 年

叠银　布面油画　180cm×190cm　2005年

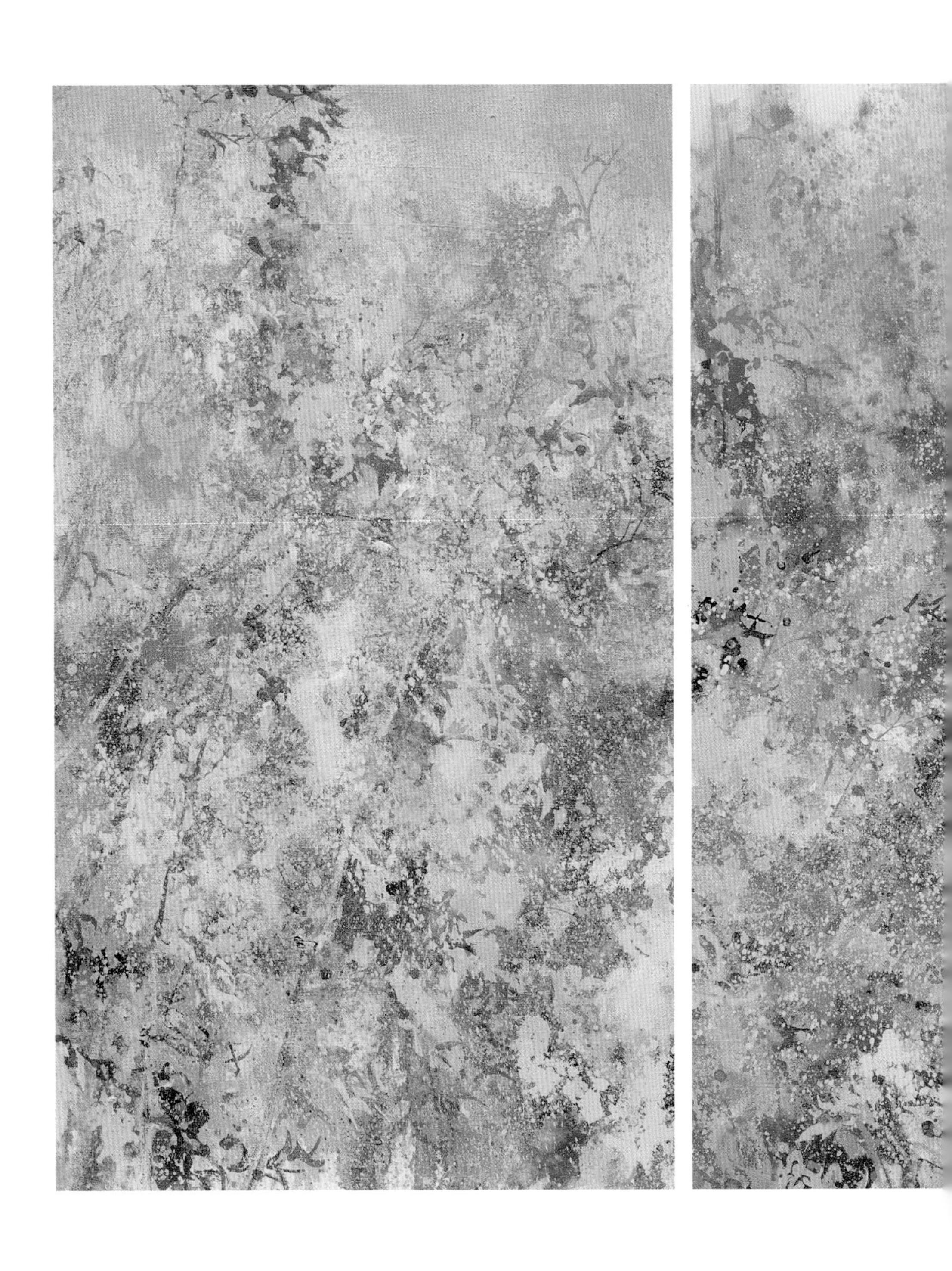

寒梦（三联画）　布面油画　60cm × 330cm　2005 年

山暖——瀑长（三联画）　布面油画　240cm × 480cm　2005 年

穹雪之三　布面油画　250cm×150cm　2004 年

寒梦之二　布面油画　220cm×230cm　2006 年　（寒梦之二 局部 P138 ~ P139）

岁寒　布面油画　170cm×190cm　2003 年

秋痕　布面油画　97cm×130cm　1991 年

皖南淡秋　布面油画　160cm × 190cm　1993 年

鲁乡　布面油画　80cm×100cm　2002 年

村潭　布面油画　60cm×80cm　1994年

穹雪　布面油画　200cm×200cm　2000年　（穹雪 局部P146～P147）

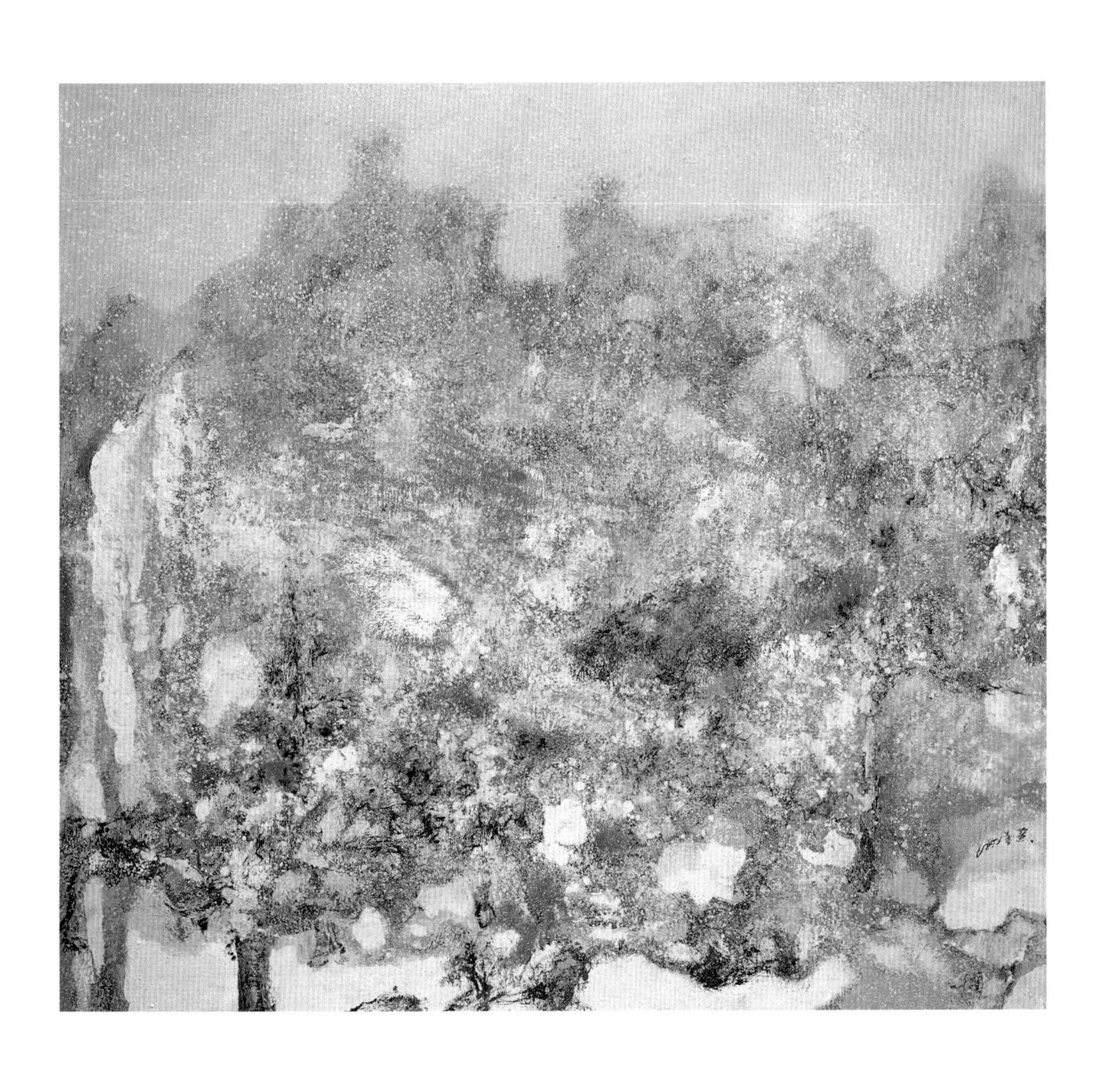

雍雪　布面油画　180cm×190cm　2000 年

薄雾春花　布面油画　70cm×70cm　2003 年

瑞雪梅居　布面油画　80cm × 80cm　2001 年

清界　布面油画　180cm×200cm　2006 年

结想江舟　布面油画　60cm × 80cm

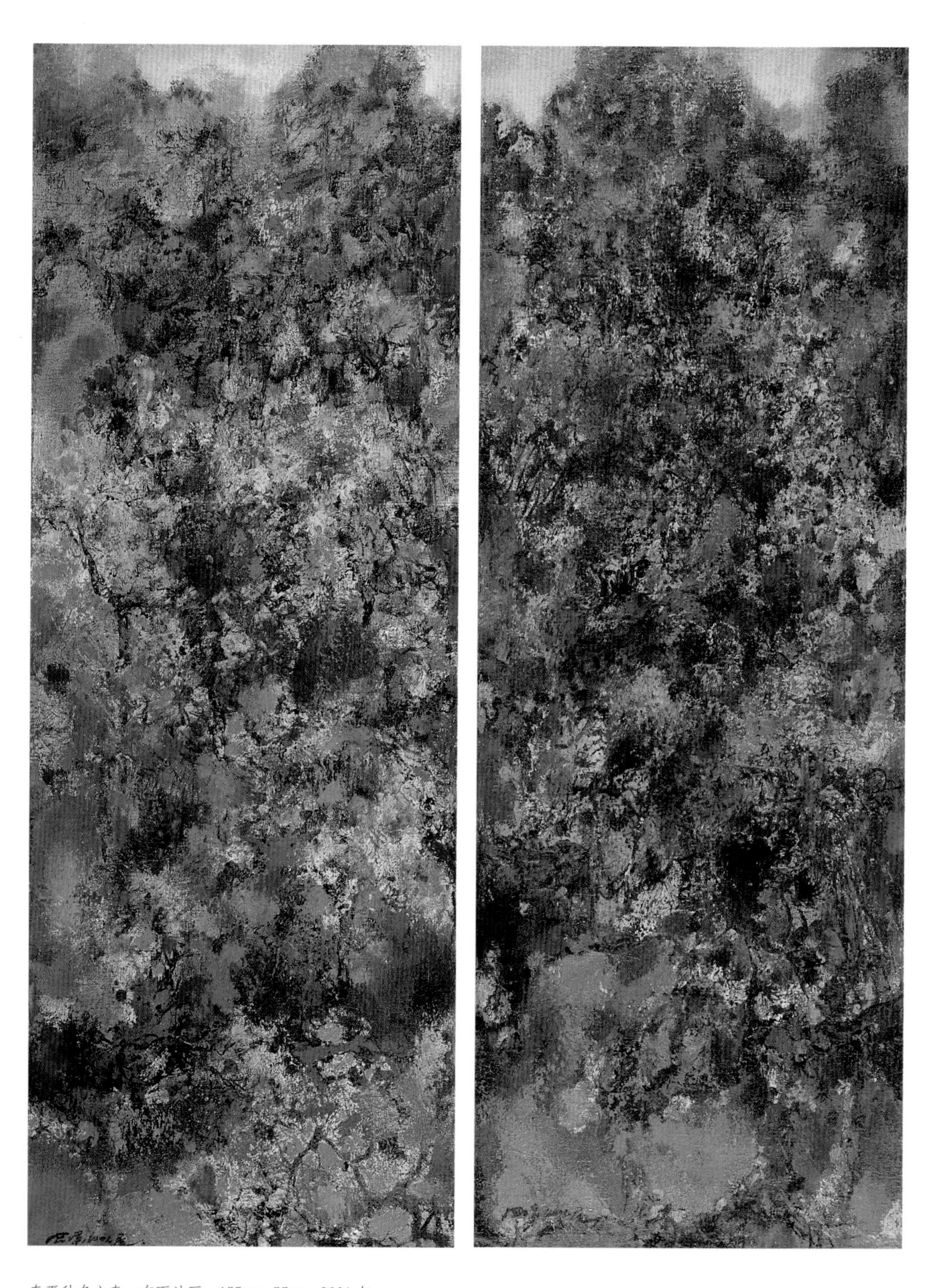

春夏秋冬之春　布面油画　155cm×55cm　2001 年
春夏秋冬之夏　布面油画　155cm×55cm　2001 年

春夏秋冬之秋　布面油画　155cm×55cm　2001 年
春夏秋冬之冬　布面油画　155cm×55cm　2001 年

山水精神1　布面油画　152cm×50.5cm　1993年
山水精神2　布面油画　152cm×50.5cm　1993年

山水精神 3　布面油画　152cm×50.5cm　1993 年
山水精神 4　布面油画　152cm×50.5cm　1993 年
潇湘烟雨　布面油画　130cm×171cm　1993 年　(P158～P159)

胡同系列之一　布面油画　120cm×70cm　1987 年

胡同系列之二　布面油画　190cm×130cm　1986 年

胡同印象之一　布面油画　70cm×80cm　1986 年

胡同印象之五　布面油画　70cm×80cm　1986 年

胡同印象之四　布面油画　80cm×70cm　1986 年

渔岛之晨 布面油画 100cm×100cm 1983年

渔岛　布面油画　100cm×120cm　1989 年

野山　布面油画　180cm×190cm　1990 年

渔岛之晨　布面油画　100cm×120cm　1982 年
风景之三　布面油画　70cm×80.3cm　1988 年

水彩作品一　纸面水彩　12.5cm×17.8cm　1969 年
暮色渔村　布面油画　100cm×100cm　1983 年

故乡人之二　布面油画　190cm×190cm　1987年　（故乡人之二 局部 P170～P171）

故乡人之一　布面油画　190cm×190cm　1987 年

女模特　布面油画　35cm×60cm　1986年

女人体　布面油画　110cm×110cm　1986 年

女人肖像　布面油画　130cm×90cm　1986年　（女人肖像 局部 P176～P177）

课堂习作　布面油画　150cm×100cm　1986 年

女人体　布面油画　140cm × 97cm　1986 年

邻家女孩　布面油画　80cm × 60cm　1986 年

女人体　布面油画　130cm×120cm　1988年
梦　布面油画　100cm×80.3cm　1988年

无题系列之三　布面油画　170cm×150cm　1991 年
随意　布面油画　80.3cm×100cm　1990 年

图书在版编目(CIP)数据

中国当代艺术家画传/食指，许江主编. －石家庄：河北教育出版社，2006.12

ISBN 7-5434-6317-2

I.中... II.①食... ②许... III.艺术家－评传－中国－现代－画册 IV.K825.7-64

中国版本图书馆CIP数据核字（2006）第156578号

策　　划 / 三尚艺术

特约编辑 / 陈子劲　张　健　熊　磊

出版发行 / 河北教育出版社

（石家庄市联盟路705号，邮编 050061）

出　　品 / 北京颂雅风文化艺术中心

北京市朝阳区北苑路172号3号楼2层，邮编 100101

电话 010-84853332

编辑总监 / 刘　峥

文字总监 / 郑一奇

责任编辑 / 康　丽　杨　健

设　　计 / 郑子杰　王　梓　吴　鹏

制　　版 / 北京图文天地中青彩印制版有限公司

印　　刷 / 北京方嘉彩色印刷有限责任公司

开　　本 / 787×1092　1/16　12印张

出版日期 / 2006年12月第1版　第1次印刷

书　　号 / ISBN 7-5434-6317-2

定　　价 / 580元（全套10册）

洪凌
简介